Het HONDEN TEAM

DE SPEURNEUS

Voor mijn broers, Ed en Tom, veel liefs xx

Oorspronkelijke titel: The Dog Squad – The Newshound

Oorspronkelijk uitgegeven in het Verenigd Koninkrijk in 2023
door HarperCollins *Children's Books*
HarperCollins *Children's Books* is een onderdeel van
HarperCollins*Publishers* Ltd

Tekst en illustraties © Clara Vulliamy 2023
Omslagontwerp © HarperCollins*Publishers* Ltd 2023

Nederlandstalige uitgave:
© 2024 Veltman Uitgevers, Utrecht
Vertaling: Ellen Hosmar/Vitataal
Redactie en productie: Vitataal, Feerwerd
Opmaak omslag en binnenwerk: Fenatic, Termunterzijl

ISBN 978 90 483 2173 5

Voor meer informatie: www.veltman-uitgevers.nl

CLARA VULLIAMY

Het HONDEN TEAM

DE SPEURNEUS

Veltman Uitgevers

NEUS

verhalen! ☆ Reviews!

Schoolnieuws p. 3

Boekreviews p. 4

Puzzels p. 6
Beestenboel p. 8
stuur ons je schattigste
foto's!

Hoofdstuk een

'WAT IS HIER AAN DE HAND?'

Mijn moeder staat met twee volle boodschappentassen bij de keukendeur. Mijn zusje Merel kijkt langs haar heen – haar mond hangt wagenwijd open, als een goudvis.

'Wat?' zeg ik.

'WAT. IS. *DIT?*' zegt mijn moeder.

'Wat bedoel je?' zeg ik zo onschuldig mogelijk, terwijl ik aandachtig mijn chocoladekoekje bestudeer.

Maar het is zinloos – ik kan niet blijven doen alsof. Mijn moeder staart vol afschuw naar iets onder mijn stoel. Iets wat luidruchtig zit te snuffelen, te brommen en te smakken. Ons huis is best wel klein. Sowieso veel te klein om een hond in te verstoppen.

Oké, dit moet ik even uitleggen.

Vorige week, toen ik van school naar huis liep, zag ik de hond voor het eerst, bij de buurtwinkel. Ik nam aan dat zijn baasje even naar binnen was gegaan om iets te kopen. Maar de volgende dag was hij er weer. Hij likte aan het papier van een ijsje dat op de grond lag. En vandaag was hij er weer. Hij zat achter een stapel kratten en kwam naar me toe.

'Hé, kleintje,' zei ik zachtjes. Ik aaide hem voorzichtig over zijn kop, wat hij goedvond.

Op dat moment stopte er een bestelbus op de stoep. De bestuurder sprong eruit en trok met een hoop lawaai de zijdeur open. De hond schrok en ging ervandoor. Net toen hij de straat oprende, kwam er een motor de hoek om.

Ik vloog op de hond af en kon hem nog *net* op tijd terugtrekken. De motor week uit en scheurde ervandoor. De motorrijder schreeuw-de boos naar mij.

De hond trilde.

'Je moet VEEL beter uitkijken!' zei ik tegen hem. Mijn hart bonsde in mijn keel. 'Je kunt niet zomaar de straat oprennen. Dat is *veel* te gevaarlijk!' Ik keek om me heen. Niemand besteedde enige aandacht aan hem. Je kan een hond toch niet zomaar in zijn eentje over straat laten lopen?

Ik liep verder – *heel* langzaam, dat wel. Elke keer als ik achteromkeek, liep het hondje achter me aan. En toen ik bij onze voordeur kwam, stond hij vlak naast me en keek me aan. Ik ging naar binnen en – het ging niet expres, maar ook niet helemaal per ongeluk – de hond liep met me mee.

Hoofdstuk twee

'Hij moet terug naar zijn baasje, *nu meteen*,'
zegt mijn moeder.

'Maar mam, ik weet niet eens of hij wel een
baasje HEEFT. Hij heeft geen halsband om –
en hij is *heel* mager, kijk maar.'

'Nou, hij kan hier echt niet blijven,' zegt
mijn moeder. 'ECHT NIET. De
huisbaas gaat uit zijn dak.
Huisdieren zijn streng verboden.'

Op dat moment slentert mijn
broer Wes de keuken binnen.

Hij stapt over de hond heen
alsof hij hem niet eens ziet, trekt

een kastdeurtje open, pakt een zak chips en gaat weer weg zonder ook maar een woord te zeggen. Serieus, wat gebeurt er in vredesnaam met je hersenen als je een puber bent?

'Ah, toe nou, mam. We kunnen hem toch niet op straat zetten?' dring ik aan. 'Dat is veel te gevaarlijk. En je vindt hem vast heel lief als je hem eenmaal kent.'

We kijken alle drie naar de hond, die over de grond snuffelt, op zoek naar koekkruimels. Hij stopt en kijkt ons aan. Mijn moeder aarzelt *heel* even, en – YES! Ik grijp mijn kans.

'Hij kan bij mij en Merel slapen,' zeg ik, terwijl ik gauw met hem door de gang naar onze piepkleine slaapkamer loop. 'Ik zorg wel voor hem!'

'Eén nachtje dan. Begrepen?' roept mijn moeder me na. 'Ik meen het, Eva. ÉÉN NACHT!'

Mijn bed staat strak tegen Merels bed aan. Aan de andere kant staat een kastje waar ik al mijn spullen in bewaar. De rest van de kamer wordt in beslag genomen door Merels speelgoed. Er is geen ruimte voor een kledingkast, maar ik heb een paar haken aan de muur waar ik mijn kleren aan ophang – mijn joggingbroek, een hoody met een surfende grizzlybeer en mijn geliefde donkergroene bakerboy-pet.

Ik vouw een deken dubbel om een soort van mandje voor de hond te maken. Hij snuffelt eraan, draait een paar rondjes en gaat liggen. Ik kroel hem zachtjes over zijn buik. Hij heeft grote, donkere ogen en kijkt een beetje bezorgd. Hij is geen puppy meer, maar nog wel heel jong, volgens mij. En hij is flinterdun... Ja! Zo ga ik hem noemen. Flinter.

Merel is ondertussen helemaal weg van Flinter. Ze zit op de grond, met al haar

viltstiften om zich heen, en maakt de ene na
de andere tekening van hem, versierd met
bloemetjes en hartjes. En zoals gewoonlijk

vertelt ze hardop wat ze aan het doen is.

'Eerst een beetje geel, dan een beetje roze...'

Ze heeft ook *drie* denkbeeldige vriendjes – Vera, Joep en Daan – met wie ze constant zit te kletsen. Alsof het hier al niet vol genoeg is.

Mijn moeder gaat weg en komt even later hijgend en puffend terug met een zak hondenvoer, *kip met voorjaarsgroenten.*

'Dit is de KLEINSTE zak die ze hadden,' zegt ze tijdens het eten streng tegen Flinter. 'Want je kunt hier niet blijven.' Zijn bak is in een paar tellen leeg. Ik geef hem stiekem een half worstenbroodje onder de tafel.

's Avonds blijf ik op totdat Merel in slaap gevallen is. Ik zit op de bank, met Flinter dicht tegen me aan, en gebruik de laptop van mijn moeder om verschillende hondenrassen op te zoeken.

Teckel...
greyhound...
terriër...
whippet misschien?

Whippets zijn klein, snel en waakzaam, lees
ik, *en in het begin vaak een beetje schuw en
nerveus.* Ik kijk naar de foto en naar Flinters
lange, smalle snuit en korte, gladde vacht. Ja,
dat is 'm. Flinter is een whippet. Kan niet
missen.

Ik loop op mijn tenen onze slaapkamer
binnen, samen met Flinter, en stap – ja hoor,
TUURLIJK – op een blokje lego. Ik mompel
zachtjes *au* en kruip mijn bed in, terwijl
Flinter op zijn dekentje gaat liggen.

Ik kijk hoe hij ligt te snuffelen en te
draaien, totdat hij eindelijk in slaap valt.

*Wie ben jij, Flinter, en waar kom je
vandaan?*

Ik kan het licht niet aandoen omdat Merel

dan misschien wakker wordt, dus haal ik de oude schoenendoos onder mijn bed vandaan en pak mijn zaklamp, mijn speciale notitieboekje en een dubbelzijdig potlood – half blauw, half rood.

Er is nog iets wat je moet weten over mij. Ik ben een geweldige journalist. Ik ben supergoed in dingen onderzoeken en geheimen ontrafelen. Mijn vrienden en ik hebben een krant, **DE SPEURNEUS**. Dus als er iemand is die dit mysterie tot op de bodem kan uitzoeken, ben ik het wel.

Hoofdstuk drie

'Schiet nou op,' zegt mijn moeder. 'Straks komen we te laat – VOOR DE ZOVEELSTE KEER.'

Ik neem nog gauw een hap en geef Flinter de laatste brokjes uit de zak, die hij dankbaar

naar binnen schrokt. Ik denk dat hij ook wel wat frisse lucht wil. Achter ons appartement is een daktuin – nou ja, 'tuin'… er staat een omgekeerde bloempot waar je op kunt zitten, er hangt een waslijn en in de hoek staat een generator constant te zoemen, als een reusachtige bij. Maar ik vind het heerlijk om daar te zijn, met uitzicht over de daken en het spoor in de verte dat richting het park loopt.

En het is perfect voor Flinter – als we het raam open laten staan, kan hij zo vaak naar binnen en naar buiten als hij wil.

Het *zou* kunnen dat mijn moeder zegt dat Flinter vandaag weg moet, maar ze heeft een snee geroosterd brood tussen haar tanden geklemd – met haar ene hand borstelt ze Merels haar en met haar andere hand veegt ze wat tandpasta van haar shirt – dus ik versta *echt* niet wat ze zegt.

Ik geef Flinter een bakje water en krabbel hem nog gauw even achter zijn oor. Daarna stop ik mijn notitieboekje in mijn zak, pak mijn rugzak en dan is het tijd om te vertrekken.

We roepen naar Wes dat we gaan, maar hij heeft zijn koptelefoon op en reageert niet. Mijn moeder, Merel en ik rennen vier trappen af en stormen de deur uit. Mijn moeder gaat alvast vooruit om Merel naar school te brengen voordat ze naar haar werk in buurtrestaurant Mengelmoes gaat. 's Morgens heeft ze het altijd heel druk, omdat ze dan de lunch moet voorbereiden.

Ik begroet mijn twee vrienden, die op de hoek op mij staan te wachten, en we lopen samen naar school.

Simone, Ann en ik waren al beste vrienden toen we nog maar heel klein waren. Samen maken we **DE SPEURNEUS**. Ik schrijf de artikelen en Simone is echt SUPER-artistiek. Zij doet de opmaak en illustraties. Ann is het slimst van iedereen – die is de ONDER-ZOEKSJOURNALIST van de krant.

Ja – die! Ann is non-binair. Ann voelt zich geen meisje en ook geen jongen. Dus in plaats van 'hij' en 'zijn', of 'zij' en 'haar' zeggen we 'die' en 'diens' als we het over Ann hebben. Die vindt dat veel beter dan in een hokje met een verkeerd label gestopt worden. 'Ik ben gewoon mezelf!' zegt die. Simone heeft een coole badge voor die gemaakt, zodat niemand het vergeet.

'Ik heb een nieuw verhaal voor **DE SPEUR-NEUS**!' zeg ik onderweg tegen Simone en Ann. 'En het is echt SPECTACULAIR.'

Om heel eerlijk te zijn waren onze verhalen tot nu toe niet echt interessant. We hadden een artikel over Orla, die een geest had gezien op het schoolplein, achter de afvalcontainers. En eentje over Vaya, toen ze een dans- wedstrijd had gewonnen. Maar het verhaal over Flinter kan *echt* iets worden.

DE SP

Nieuws uit de buurt! ☆ D

SPOOKT HE
OP SCHOOL

RNEUS
e verhalen! Reviews!
Vaya wordt eerste! p. 2
Gevonden! p. 5
Zijn deze van JOU?

Ik vertel ze alles over Flinter. 'Ik zag hem bij de buurtwinkel. Hij hing daar al DAGENLANG rond en hij werd *bijna* aangereden...'

'O nee!' roept Ann.

'Het ging echt maar net goed,' zeg ik. 'En toen ik naar huis liep, kwam hij achter me aan, maar mijn moeder zegt dat hij niet kan blijven. We moeten uitzoeken wie zijn baasje is en hem terugbrengen.'

Stiekem hoop ik dat hij geen baasje heeft, zodat we hem *heel* misschien mogen houden.

'Het lijkt me geweldig om een hond te hebben, ook al is het maar voor even,' zegt Simone. 'Mijn zussen en ik zeuren al JAREN om een hond, maar mijn vader krijgt al niesbuien en prikkende ogen als hij een harig beestje *ziet*. Als we een hond krijgen moet óf hij, óf de hond in de schuur gaan wonen, zegt hij, en hij weet nou al dat hij dan de pineut is!'

Ann heeft een kat, Frank. 'Hij is weer op

dieet,' zegt die tegen ons. 'We denken *echt* dat het deze keer gaat lukken.'

We komen aan bij school en lopen naar onze klasgenoten, die bij de hoofdingang staan. 'Hup, in de rij!' zegt meester Mulder, onze leraar, terwijl hij een biscuitje in zijn thee doopt.

Een paar meiden staan dicht bij elkaar te smoezen. Ze kijken aandachtig naar iets. Het blijken uitnodigingen voor Amy's verjaardag te zijn. We verwachten niet dat wij ook een uitnodiging krijgen, en dat is maar goed ook, want die krijgen we inderdaad niet.

'Jullie zijn niet uitgenodigd,' zegt Max met een arrogante grijns.

'Joh, meen je dat nou?' mompel ik zachtjes.

'Redactievergadering in de middagpauze?' stel ik voor aan Simone en Ann. Ze zeggen allebei JA.

Hoofdstuk vier

Ann en ik krijgen elke dag een schoolmaaltijd en Simone neemt haar eigen eten mee, maar we gaan wel altijd bij elkaar zitten. De kantinejuf die ik het leukst vind werkt vandaag, en ze geeft me extra bonen. We noemen de mensen die de schoolmaaltijden serveren nooit bij hun voornaam, maar altijd 'kantinejuf', zelfs Mila's vader, die Paul heet.

We eten zo snel mogelijk en daarna veeg ik de kruimels van tafel en pak mijn notitieboekje. Ik kijk wat ik gisteravond allemaal heb opgeschreven – een beschrijving van Flinter en verder vooral HEEL veel vragen.

'Dus,' zeg ik, 'het artikel over Flinter... waar zullen we beginnen?'

'We kunnen naar de buurtwinkel gaan waar je hem hebt gevonden,' zegt Ann, 'en de omgeving grondig onderzoeken.'

'Dan neem ik mijn schetsboek en teken-spullen mee,' zegt Simone en ze checkt haar etui.

'Ja!' zeg ik. 'En we kunnen aan de eigenaar van de winkel vragen of hij iets gezien heeft.'

REGEL EEN: *als je een verhaal op het spoor bent, moet je eerst teruggaan naar het begin.*

Na school doen we onze perskaarten, die Simone voor ons heeft gemaakt, om en lopen naar de buurtwinkel.

We zoeken overal – bij de emmers met bossen
bloemen, achter de kauwgomautomaat, onder
de lege kratten... maar we zien niks bijzonders.

We gaan naar binnen. Meestal doen Ann en
ik het woord. Simone is een beetje verlegen en
tekent liever in haar schetsboek. We zijn een
echt team. We hebben ieder onze eigen
talenten.

'Weet u iets over een hond die hier pas geleden buiten rondliep?' vraagt Ann aan de eigenaar.

'Een kleine, magere, grijze hond?' voeg ik eraan toe.

Maar de man schudt zijn hoofd. 'Er komen hier zo veel mensen, en er staat heel vaak een hond bij de deur. Ik heb niks aparts gezien.'

'Oké,' zeg ik, 'toch bedankt.'

'Een dood spoor,' zegt Simone, terwijl we naar buiten lopen.

'Er moet toch iemand zijn die Flinter kent,' zeg ik. 'Hij komt niet zomaar uit de lucht vallen!'

'We moeten een plan bedenken,' zegt Ann vastbesloten.

REGEL TWEE: *blijf graven.*

Als ik weer thuis ben, ga ik meteen naar mijn slaapkamer. Flinter is er nog. Hij ligt te doezelen op zijn dekentje. Ik ben HEEL blij om hem te zien. Mijn moeder heeft hem dus niet weggedaan – tenminste, nog niet. Misschien omdat ze hem toch leuk begint te vinden, ook al is het maar een klein beetje?

Hij doet één oog open en staat dan op. In de gang aarzelt hij even, omdat hij stemmen in de keuken hoort. Maar als ik hem geruststel – 'Toe maar, Flinter! Je hoeft niet bang te zijn!' – loopt hij achter me aan de keuken in.

Mijn moeder zit aan de keukentafel, samen met Merel, die zit te knippen en te plakken. Er staat een nieuwe zak hondenvoer, weer het kleinste formaat.

'We moeten uitzoeken of Flinter gechipt is,' zegt mijn moeder, terwijl ze op haar telefoon kijkt. 'Blijkbaar kun je er zo achter komen van wie een hond is. Dat moeten we morgen dan maar doen.'

Ik zeg niks. Het zou natuurlijk geweldig zijn als Flinter een baasje blijkt te hebben. Ik had alleen gehoopt dat dat nog iets langer zou duren.

Ze kijkt hoe ik zorgvuldig wat voer in Flinters bakje doe.

'Je moet hem ook weer niet *te* erg het gevoel geven dat hij hier thuis is,' zegt ze. 'Hij moet binnenkort weer weg.'

Hoofdstuk vijf

Het gebeurt in een flits. Wes legt zijn broodje
ham op het aanrecht en draait zich heel even
om...

Flinter springt omhoog, grist het broodje
van het aanrecht, duikt onder tafel en schrokt
het hele broodje in twee tellen naar binnen.

Wes kreunt. Hij heeft geen tijd om nog een broodje te smeren, dus hij moet maar een dagje zonder brood.

Mijn moeder en ik gaan voor schooltijd met Flinter naar Pet Planet, de dierenwinkel en dierenkliniek bij ons in de buurt, om te vragen of de dierenarts wil kijken of hij gechipt is.

'Dat doe ik graag voor jullie!' zegt de dierenarts. We lopen met hem mee naar de behandelkamer.

De dierenarts tilt Flinter op de behandeltafel en kletst vrolijk met hem. 'Maak je geen zorgen, jochie!' zegt hij. 'Je voelt er niks van!'

Hij gaat met zijn scanner over Flinters schouders, en daarna over zijn lichaam en zijn poten... maar er gebeurt niks. Er is geen chip. Er verschijnen geen gegevens van de eigenaar op het scherm.

'Dat is gek,' zegt de dierenarts verbaasd. 'Er

is helemaal niks over hem te vinden!'

Alweer een dood spoor.

Buiten hebben we geen tijd om te overleggen, want we moeten allebei opschieten.

'Kom je na school naar het restaurant, Eva?' roept mijn moeder. 'Ik moet langer door-werken en er is niemand thuis om voor je te zorgen.'

Op school moeten we *stil lezen,* maar als
meester Mulder heel even de klas uit gaat,
begint iedereen meteen door elkaar heen te
kletsen. Ik maak van de gelegenheid gebruik
om Simone en Ann te vertellen dat we naar
Pet Planet zijn geweest.

'En nou weten we dus nog *steeds* niet wie
Flinter is,' zeg ik, 'of waar hij vandaan komt.'

'Wat gaan we nu doen?' vraagt Simone.

'Ik kan vanmiddag niet,' antwoord ik. 'Ik
moet naar het restaurant om te wachten tot
mijn moeder klaar is met werken.'

'Wij gaan met je mee,' zegt Ann. 'Misschien
is er iemand in het restaurant die Flinter
kent.'

'Goed idee!' zeg ik. 'Er moet toch IEMAND
zijn die iets gezien heeft?'

We worden onderbroken door Amy,

Sumaya en Charlotte, die aan de tafel naast ons over het verjaardagsfeestje zitten te kletsen. 'We gaan ook karaoke doen!' zegt Amy. De andere twee roepen verrukt *ooh* en *aah*. Vervolgens spreken ze af om in het weekend samen nieuwe kleren te kopen.

Ik moet toegeven dat die karaoke mij best leuk lijkt, maar kleren kopen vinden wij drieën echt *helemaal* niks aan.

Simone rolt met haar ogen. 'Toen ik afgelopen zomer naar de bruiloft van mijn nicht ging,' vertelt ze, 'moesten mijn twee zussen en ik dezelfde tuttige jurken in drie verschillende maten aan, met dezelfde bijpassende haarbanden en kanten sokjes.' Ze trekt een vies gezicht. 'Echt *vreselijk!*'

Ik kijk naar Simones zwarte legging en oude sneakers en probeer me voor te stellen hoe ze eruit zou zien in een jurk, en ik kan het echt niet helpen, maar ik begin keihard te lachen. Daardoor begint Ann ook te giechelen. Simone doet alsof ze beledigd is, maar lacht al snel mee. De meiden aan de tafel naast ons kijken naar ons, waardoor we alleen maar nog harder moeten lachen.

Het kan ons niet schelen wat anderen van

ons vinden, en we doen ook niet ons best om net zo te zijn als iedereen om ons heen. Dat is trouwens heel handig voor ons werk als journalist – buitenstaanders zien van alles, zonder dat ze zelf opgemerkt worden.

Hoofdstuk zes

Het restaurant ziet er vanbuiten armoedig uit. De verf is afgebladderd en er ontbreken een paar letters van de naam. Maar binnen is het warm en gezellig, en het ruikt er *heel lekker*.

We gaan aan een tafeltje zitten en mijn moeder zet een bord met stukjes wafel – de afgesneden restjes en mislukte exemplaren – op het vale, geblokte tafelkleed, plus een kommetje kaneelsuiker om ze doorheen te halen. JUMMIE.

We kijken naar de andere gasten.

'Heeft u iets gehoord over een vermiste hond?' vraag ik aan de man naast ons. 'Een whippet – klein, grijs, bezorgde blik in zijn ogen?'

Hij veegt de handjes van een peuter schoon die net wat broccolipuree door haar samengebalde knuistjes heeft geperst. 'Nee, sorry,' zegt hij.

Ann loopt naar een jonge vrouw die bij de kassa staat om te betalen. 'En een uitgestelde maaltijd, alsjeblieft,' zegt ze tegen mijn moeder. Ik vind dat een gekke uitdrukking, maar het betekent dat je een extra maaltijd of koffie betaalt voor iemand die daar op dat moment geen geld voor heeft.

'Ken jij iemand die een hond kwijt is?' vraagt Ann aan de vrouw.

Ze glimlacht en zegt: 'Eh, nee, volgens mij niet, nee.'

In de hoek zit een oude man voorzichtig slokjes van zijn koffie te nemen. Ik zie hem nu pas. Het is meneer Blaak. Hij komt hier heel

vaak, samen met zijn oude hond Lucky. Lucky
zit bij zijn voeten. Ik kan nog net het naam-
plaatje in de vorm van een klavertjevier aan
haar halsband zien. Ze zijn allebei een beetje
doof en krakkemikkig. Volgens mijn moeder
hebben ze samen heel veel meegemaakt.

'Een vermiste whippet, zei je?' vraagt meneer Blaak, met één hand achter zijn oor.

'JA!' roepen wij en we lopen gauw naar hem toe.

'Volgens mij was er laatst iets in het nieuws over een louche fokker van whippets,' zegt hij. 'Die kwam in de problemen toen ze erachter kwamen dat hij illegaal puppy's verkocht...'

Ik voel een kriebel in mijn buik. Dat betekent dat we iets op het spoor zijn.

'Wat is er met die puppy's gebeurd?' vraag ik.

'O, dat weet ik niet meer...' antwoordt hij en hij schudt zijn hoofd.

'Dit zou weleens belangrijk kunnen zijn!' zegt Ann. We pakken onze spullen bij elkaar.

'Zou Flinter bij die fokker vandaan komen?' vraagt Simone.

'Geen idee,' antwoord ik. 'Maar het is een aanknopingspunt!'

De volgende dag gaan we in de ochtendpauze meteen naar de schoolbibliotheek. Van onze bibliothecaresse (mevrouw Kapoor, maar wij mogen haar Meera noemen) mogen we hier altijd zo lang blijven als we willen. Meera is de ALLERGROOTSTE fan van **DE SPEURNEUS**.

Ze neemt ook vaak lekkere dingen mee.
Vandaag haalt ze een Tupperware-bak
tevoorschijn en geeft ons ieder een stuk
rozen-pistachekoek.

'HEERLIJK,' mompelt Simone bijna
onverstaanbaar, met haar mond vol.

Daarna beginnen we te zoeken op internet.
Het is bijna niet te doen – er zijn ZOVEEL
verhalen over puppy's in het lokale nieuws:

Puppycursussen in het
park die binnenkort
beginnen...

Een oproep voor dalmatiër-
puppy's voor een nieuwe
voorstelling in het Theatre
Grande...

De neerwaartse hond
– yogalessen voor jou
en je puppy...

Ik doe mijn haar in een knotje en steek er
gedachteloos een potlood doorheen. Dat doe ik
altijd als ik me *heel* goed concentreer.

En dan...

Simone ziet het als eerste. 'Dat is het!'

FOKKER VAN WHIPPETPUPPY'S MOET BEDRIJF SLUITEN!

Mensen van de plaatselijke dierenbescherming hebben een fokker ontdekt die illegaal whippetpuppy's verkocht. De puppy's kwamen niet op geregistreerde adressen terecht, maar werden op een parkeerplaats overgedragen aan hun nieuwe eigenaar, in ruil voor grote sommen geld. Ze waren geboren in een lawaaiige, overvolle omgeving en werden op veel te jonge leeftijd weggehaald bij hun moeder.

'Wat *erg*!' roep ik uit.

'Hier MOETEN we een artikel over schrijven in **DE SPEURNEUS**,' zegt Ann.

We lezen verder...

De fokker moet zijn bedrijf sluiten. Omdat de puppy's zonder papieren zijn verkocht en niet gechipt zijn, is het helaas onmogelijk te achterhalen waar ze nu zijn.

'Dus het zou *inderdaad* kunnen dat Flinter daarvandaan komt!' zegt Simone.

'Maar daar kunnen we nooit achter komen,' merkt Ann op.

Ik vraag toch maar aan Meera of ze het artikel wil uitprinten. Ik vouw het op en stop het in mijn notitieboekje.

REGEL DRIE: *onthoud alle details, hoe klein ook. Je weet nooit of ze belangrijk zijn.*

Hoofdstuk zeven

Onderweg van school naar huis koop ik een zakje hondensnoepjes voor Flinter bij Pet Planet – *barbecue-baconsmaak*. Als ik binnenkom, tref ik hem aan in de keuken, samen met Merel en mijn moeder. Hij heeft zijn dekentje daarnaartoe gesleept en is onder tafel gaan liggen. Hij vertrouwt ons al steeds meer.

'Hé Flinter!' zeg ik en ik geef hem een paar snoepjes. Hij kwispelt zo hard dat hij bijna omvalt.

Na het eten besluit ik Flinter in BAD te
doen.

Ik weet niet zo goed of hij het nou leuk
vindt of niet, maar zodra hij in het water staat,
wordt hij helemaal gek. Hij stoot een fles
shampoo om, die langzaam leegloopt in het

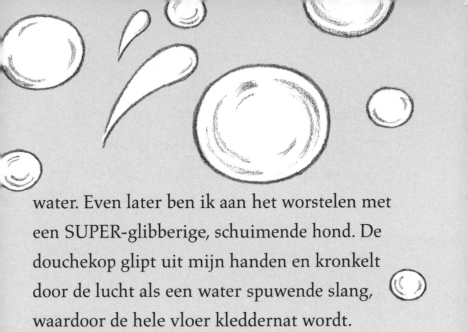

water. Even later ben ik aan het worstelen met een SUPER-glibberige, schuimende hond. De douchekop glipt uit mijn handen en kronkelt door de lucht als een water spuwende slang, waardoor de hele vloer kleddernat wordt.

Flinter neemt een hap zeepsop en zijn snuit
verdwijnt onder een dikke laag schuim.

Ik haal hem uit bad en maak gauw de vloer
droog, voordat mijn moeder het ziet.

Ik droog Flinter voorzichtig af, zet hem op de bank en wikkel hem als een burrito in zijn dekentje. Mijn moeder komt binnen met een schaal popcorn en gaat bij ons zitten om

samen een film te kijken. Dat doen we heel vaak op vrijdagavond, al valt zij meestal binnen een paar minuten in slaap, waarna ze aan het einde van de film wakker wordt en zegt: '*Dat* was leuk!'

Ik zie dat mijn moeder Flinter stiekem wat popcorn geeft en hem even over zijn zachte, gladde bolletje aait. Volgens mij begint ze hem ook leuk te vinden.

Flinter is GEK op tv-kijken. Hij kijkt echt *alles*, nog meer dan mijn oma – wat bijna onmogelijk is.

Maar bij ons thuis is het nooit lang rustig. Daar komt Merel aan – terwijl ze allang in bed had moeten liggen – om over haar nieuwste project te vertellen: een mobiele nagelsalon. Ze heeft de kast in de badkamer overhoop-gehaald en alle flesjes nagellak van mijn moeder plus een paar wattenschijfjes in een plastic tasje gestopt.

'Ik ben te moe om er wat van te zeggen,'
zegt mijn moeder. Ze zakt onderuit op de
bank, trekt haar sokken uit en doet haar ogen
dicht. Tegen de tijd dat ze haar ogen weer
opendoet, zijn haar tenen één grote, kleverige,
glitterachtige kliederboel.

'Dat is dan vijftig cent!' zegt Merel.

'Ik bewonder je handelsgeest,' zegt mijn
moeder. Ze pakt haar tas en geeft Merel vijftig
cent. 'Als je zo doorgaat, kan ik mijn baan wel
opzeggen.'

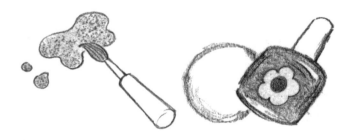

Dat zegt ze nou wel, maar ik weet dat ze echt *nooit* zou stoppen met haar werk in het restaurant.

Ik bedank vriendelijk voor Merels aanbod om mijn nagels te doen, maar Wes komt er niet onderuit.

'Drie euro!' zegt ze opgewekt tegen hem. Hij geeft haar twintig cent.

Hoofdstuk acht

Flinter hoort de postbode als eerste en springt meteen overeind.

Het is een pakketje voor mijn moeder. Ze heeft een riem en een mooi, wollig, roze met oranje geruit truitje voor Flinter gekocht.

'Dit betekent natuurlijk *niet* dat hij hier blijft,' zegt ze tegen ons.

Dat zet me aan het denken... misschien heeft Flinter wel veel te veel binnen gezeten en moet hij er hoognodig eens uit. Ik heb vanmorgen met Simone en Ann afgesproken in het park, dus waarom zou ik hem niet meenemen? 'Ik ga een stukje lopen met

Flinter!' zeg ik tegen mijn moeder.

Als we bij de ingang van het park komen,
staan Simone en Ann al op ons te wachten. Ze
gaan allebei door de knieën om Flinter te
begroeten.

'Wat een lekker zachte trui,' zegt Ann.

'En zo stijlvol!' voegt Simone eraan toe.

'Die is nieuw,' zeg ik. 'Die heeft mijn moeder voor hem gekocht. Volgens mij vindt ze hem leuker dan ze wil toegeven.'

We lopen langs de speeltuin en daarna een rondje om de vijver. In het bos maak ik Flinters riem los, en hij gaat er als een speer vandoor. Hij rent razendsnel

rond en komt daarna weer
bij ons terug. Jemig, wat
zijn whippets SNEL.

Terwijl Flinter als een
gek achter een blaadje aan
rent, gaan wij op een
bankje zitten. Ann haalt
een zakje bonbons uit diens
zak.

'Zullen we raad-het-chocolaatje doen?' stelt die voor. Dat is een van onze favoriete spelletjes – een mooie gelegenheid om te laten zien hoe goed wij dingen kunnen ONDER-ZOEKEN.

Simone mag eerst.

'Glad en rond... sinaasappel?' raadt ze, en ze stopt de bonbon in haar mond. 'YES!'

Nou ben ik aan de beurt.

'Klein en ovaal... eh, karamel?' Maar nee, het is, iew, rozijnensmaak.

Dan is Ann aan de beurt.

'Weer glad en rond... is dit koffie? YES.'

Ik eis een herkansing na mijn domme vergissing en heb de praliné-gepofte rijst GOED. Serieus, wij zijn *getrainde professionals* in dit spelletje.

Even later lopen we verder. Flinter wil per se een ERG leuke stok meenemen. Als we langs de andere kant van de vijver in de richting van de uitgang lopen, zijn we zo druk aan het kletsen dat we het gevaar niet meteen opmerken. Maar dan kijk ik op en zie een bekende persoon onze kant op komen...

'Dat is onze HUISBAAS!' roep ik verschrikt.

We duiken razendsnel de bosjes in en trekken Flinter mee. Ik durf nauwelijks adem te halen en Simone houdt haar hand stijf voor haar mond. Flinter blijft, godzijdank, rustig – hij wordt afgeleid door zijn stok. We blijven roerloos zitten en ik voel onze huisbaas dichterbij komen... dan zie ik zijn benen tussen de blaadjes door... hij loopt vlak langs ons heen... maar hij loopt door en verdwijnt even later om de hoek.

Als de kust veilig is en we de bosjes uit komen, begin ik keihard te lachen.

'HA! Zie je wel?' zeg ik. 'Het is echt ZO simpel om je voor hem te verstoppen!'

'Bijna *te* simpel!' lacht Ann.

Simone is eerst nog te zenuwachtig, maar lacht al snel met ons mee. Vrolijk en vol zelfvertrouwen lopen we naar de uitgang, waar we afscheid nemen en ieder naar ons eigen huis gaan.

Mijn moeder zit aan de keukentafel met stapels bonnetjes en facturen om haar heen om de boekhouding van het restaurant te

doen. Merel houdt ondertussen een thee-
kransje voor haar denkbeeldige vriendjes. Ik
neem Flinter mee naar de woonkamer.

Hij springt op de bank. Nu hij een flink
stuk gerend heeft, wil hij daar zo te zien de
rest van de dag wel blijven liggen. Ik plof ook
neer. *Het is ons echt heel goed gelukt om uit
het zicht van de huisbaas te blijven*, denk ik
bij mezelf. Het heeft tot nu toe weinig moeite
gekost om Flinter voor hem te verbergen. En
voor zover ik kan nagaan, weet verder
niemand dat Flinter bestaat.

Maar ik mag **REGEL VIER** natuurlijk niet
vergeten: *nooit gemakzuchtig worden; altijd
alert blijven...*

Ik begin me toch af te vragen... Kunnen we
Flinter niet *voor altijd* verborgen houden?

Hoofdstuk negen

Er gaan een paar dagen voorbij. Ik raak eraan gewend dat Flinter bij ons woont. We hangen wat rond in huis en we gaan nog een keer naar het park. Deze keer is de huisbaas gelukkig nergens te bekennen. Mijn moeder koopt nog een zak *kip met voorjaarsgroenten*, middelgroot formaat deze keer.

Ann, Simone en ik gaan elke pauze naar de bieb om aan ons verhaal voor **DE SPEURNEUS** te werken. Ann en ik doen nog meer onderzoek naar illegale hondenfokkers en Simone doet de lay-out van de pagina's en zoekt er geschikte foto's bij.

Als ik 's middags thuiskom, ligt Flinter meestal op het dak te doezelen in de zon. Dan ga ik vlak bij hem zitten, op de omgekeerde bloempot, om mijn huiswerk te doen. Soms

ligt hij te piepen en te trillen, alsof hij een nare droom heeft. Dan aai ik zachtjes over zijn gladde kopje, zijn zachte oortjes en zijn warme, fluweelachtige rug totdat hij rustig wordt en weer verder slaapt.

Flinter voelt zich al helemaal thuis bij ons. Alles klopt gewoon. Wat kan er nou misgaan?

De volgende ochtend schrik ik wakker. Ik hoor de stem van de huisbaas in de keuken. 'Ik kom die kapotte lichtknop repareren,' zegt hij tegen mijn moeder.

Ik kijk naar Flinters dekentje. Flinter is er niet. Mijn maag draait zich om. Ik ren in paniek door de gang en storm de keuken binnen. De huisbaas kijkt verschrikt op van zijn gereedschapskist.

'Let maar niet op Eva, hoor,' zegt mijn moeder nonchalant. 'Ze komt gewoon even kijken wat je doet. Ze wil later graag elektricien worden!' Ze kijkt me indringend aan.

Ik schakel over op de *reporterstand* en scan de keuken. Geen teken van Flinter. Zijn bak staat niet op de grond – die staat natuurlijk in de afwasmachine. GELUKKIG. Mijn moeder staat met haar rug naar het raam waar je uitkijkt op de daktuin. Dat doet ze vast niet voor niks. Ik kijk langs haar heen en zie naast de generator nog net een snuit, één poot en een gesloten oog; het is Flinter, in diepe slaap op zijn favoriete plekje.

De huisbaas staat voor mijn gevoel een eeuw te prutsen met de lichtknop. Ik zie dat Flinter rechtop gaat zitten – hij heeft door dat er een vreemde in ons huis is... dan staat hij op en loopt onze kant op. Ik ga snel naast mijn moeder staan. We zien er vast heel raar uit zo. Ik trek een 'ik-vind-elektriciteit-héél-interessant'-gezicht.

Als de huisbaas klaar is, stopt hij zijn
gereedschap weer in zijn kist en kijkt ons aan
om gedag te zeggen.

Schiet nou op – ga nou gewoon weg!
schreeuw ik vanbinnen.

Dan kijkt hij met een frons naar het raam.
Flinter staat achter ons, met zijn snuit tegen
het raam gedrukt.

'En wie is DAT?' vraagt de huisbaas
achterdochtig.

'Dat is Flinter,' breng ik met moeite uit, 'en hij kan nergens anders heen.'

'Maar hij blijft niet, hoor,' zegt mijn moeder vlug.

'GEEN HUISDIEREN!' zegt de huisbaas streng. 'Dat zijn de regels! Hij moet ONMIDDELLIJK weg.'

Ik word misselijk. De huisbaas ziet hoe overstuur ik ben en wordt ietsje milder, maar niet veel...

'Hij mag tot na het weekend blijven,' zegt hij. 'Dus nog drie dagen. Maar daarna moet hij weg.'

Nadat de huisbaas is vertrokken, laat ik Flinter binnen en geef hem een knuffel.

'We *moeten* erachter zien te komen waar Flinter vandaan komt en hem terugbrengen,' zegt mijn moeder, 'zo SNEL mogelijk.' Ze probeert het te verbergen, maar ik kan zien dat zij ook verdrietig is.

Ik zeg niks over ons onderzoek voor
DE SPEURNEUS.

REGEL VIJF: *houd je verhaal geheim totdat
je ALLE FEITEN hebt.*

Maar de tijd dringt. Flinter heeft ons nodig.
We *moeten* blijven zoeken. Ik ga op mijn
knieën zitten en kijk naar zijn lieve koppie.

'We hebben DRIE DAGEN om je baasje te
vinden,' zeg ik tegen hem. 'Of om te bewijzen
dat je *echt* geen baasje hebt. Dan moeten we
bedenken hoe we je kunnen houden. Ik heb de
hoop nog niet opgegeven!'

Hoofdstuk tien

Drie dagen maar! Wat moeten we doen? Ik krijg opeens een idee...

POSTERS! We kunnen posters ophangen in de stad. Wie weet wordt Flinter herkend door zijn baasje.

Ik moet een foto van Flinter maken – en gauw ook, want ik moet zo naar school. Dat is nog niet zo eenvoudig, want hij WEIGERT stil te blijven zitten. Dan is hij weer te ver weg, dan weer te dichtbij...

Het ene moment zoekt hij iets onder de bank en zie je alleen zijn achterwerk, het andere moment trekt hij zijn dekentje over zich heen en zie je alleen zijn tenen. Maar dan lukt het me EINDELIJK om een goede foto te maken.

Als we in de rij op het schoolplein staan, vertel ik Ann en Simone het slechte nieuws: de huisbaas heeft Flinter ontdekt en ons een ultimatum gegeven.

'We moeten nu echt zijn baasje zien te vinden!' zeg ik. 'Ik had bedacht dat we posters kunnen maken met HOND GEVONDEN en een foto van Flinter. Wat denken jullie?'

'Goed plan,' zegt Simone. 'Laten we dat meteen vandaag doen.'

'Ik wil de poster wel ontwerpen,' zegt Ann. 'Pauze, bieb?'

Amy en haar vrienden staan weer opgewonden te kletsen over haar feestje. 'We krijgen een chocoladefontein,' zegt Amy, 'en een voetenbad en pedicure!'

'Die chocoladefontein klinkt best goed,' zegt

Ann een beetje sip tegen ons.

'Ja,' zeg ik. 'En dat voetenbad ook. Maar ja, voor een pedicure hebben we altijd nog Merels mobiele nagelsalon – al is die *net* wat minder goed.'

De ochtend lijkt eindeloos te duren...

Maar dan zitten we eindelijk in de bieb aan de posters te werken.

'Ze zien er geweldig uit!' zegt Meera. Ze print ze uit en geeft ons een rol plakband die ze uit een van de lades van haar bureau haalt. In ruil daarvoor vraagt ze of wij een stapel boeken in de kasten willen zetten en de stoelen recht willen zetten. Ze laat ons vaak klusjes doen, en dat vinden wij geen enkel probleem.

Na school hangen we overal posters op – één op het mededelingenbord op het schoolplein, twee bij de ingang van het park...

De eigenaar van de buurtwinkel vindt het goed dat we er eentje ophangen op de etalageruit, en de manager van Pet Planet ook.

Uiteindelijk komen we bij het buurtrestaurant. Mijn moeder is net bezig om een spijker in een wiebelende tafelpoot te slaan. Ze glimlacht naar ons door het raam. 'Perfect!' zegt ze als ze onze posters ziet. 'Hang er maar zoveel op als je kwijt kunt!' Dus hangen we drie posters voor het raam, twee bij de kassa en twee op de deur.

HOND GEVONDEN!

Grijze whippet, beetje nerveus en schuw, maar heel lief als hij je eenmaal kent. Geen halsband of chip. Herken jij deze hond?
Laat dan een berichtje achter in het buurtrestaurant aan de Hoofdstraat.

Als ik thuiskom, ligt Flinter languit te slapen op de bank. 'Schuif eens een stukje op!' zeg ik tegen hem. Het is maar een klein hondje, maar op de een of andere manier lukt het hem altijd om *heel* veel ruimte in beslag te nemen. Hij legt zijn kop op mijn schoot. Ik pak mijn notitieboekje en mijn speciale dubbelzijdige, rood-blauwe potlood. Ik gebruik blauw voor echte aanwijzingen en rood voor doodlopende sporen. Nu de hele stad vol hangt met onze posters, kunnen we niet zomaar achteroverleunen en wachten totdat er iets gebeurt. We moeten ons voorbereiden op de volgende stap.

Mijn blik valt op de ingelijste krant die aan de muur boven de tv hangt. Het is *Eva's Nieuws*, de eerste krant die ik ooit heb gemaakt, jaren geleden. Het voorpaginanieuws is 'IK HEB EEN EGEL GEZIEN', met een grappige kindertekening. Ik heb altijd al een journalist willen zijn, vanaf toen ik heel klein was. Ik gebruikte het handvat van een springtouw als microfoon en vroeg aan willekeurige voorbijgangers wat hun lievelingskleur was of wat ze die ochtend als ontbijt hadden gegeten. De GROTE vragen van het leven, zeg maar.

Ik zit te denken hoelang ik dit werk al doe en hoe hard ik heb gewerkt om een echt goede journalist te worden. En met Ann en Simone erbij heb ik een geweldig team. Als er iemand is die achter de waarheid kan komen en dit verhaal kan vertellen, is het **DE SPEURNEUS**. Zolang we maar gefocust blijven en niet opgeven.

REGEL ZES: een goede journalist is als een hond die zich ergens in vastbijt. Laat niet los en geef nooit op.

Maar dan word ik opgeschrikt uit mijn
gedachten doordat Flinter opeens van de bank
af springt en naar de keuken rent. Hij ruikt
dat het geroosterde brood voor Merels
gekookte ei aanbrandt en blijft
keihard blaffen totdat mijn
moeder eraan komt.

Hoofdstuk elf

Zaterdagmorgen houden we een spoed-
vergadering van **DE SPEURNEUS** in het park.

'Nog maar twee dagen!' zeg ik bij aankomst
tegen Ann en Simone. 'De tijd dringt!'

'Wat kunnen we nog meer doen?' vraagt
Simone.

Het blijft even stil.

'Het spoor liep dood na dat verhaal over de
illegale fokker,' zegt Ann, 'maar die puppy's
zijn naar andere mensen gegaan... Misschien
kunnen we naar zo'n dagopvang voor honden,
waar mensen hun hond naartoe brengen voordat ze naar hun werk gaan? Er zit er eentje aan

de Hoofdstraat – SNUF EN KWISPEL.
Misschien weten zij iets? Zullen we daarheen
gaan voor een interview?'

Dat vinden we alle drie een geweldig idee.
We hebben geen tijd te verliezen, dus doen we
onze perskaarten om, pakken onze notitie-

boekjes erbij en gaan op pad.

Als we bij SNUF EN KWISPEL aankomen,
komen twee medewerkers net terug van een
wandeling met de honden. Ik heb nog NOOIT
zoveel verschillende honden bij elkaar gezien.

'Hoi!' zegt een van de twee medewerkers vrolijk. 'Ik ben Sam. Kan ik jullie helpen?'

'We willen jullie graag interviewen voor onze krant, **DE SPEURNEUS**,' zeg ik. 'Kan dat? Het duurt maar een paar minuten.'

'Tuurlijk!' antwoordt hij. 'Pak een stoel – als je er een kunt vinden. Het is hier een GEKKENHUIS op het moment!' Op vrijwel elke stoel zit een hond of ligt een stapel hondenspeeltjes, dekentjes en doosjes.

We vertellen Sam over Flinter, en dat we zo snel mogelijk zijn baasje moeten vinden, als hij die al heeft.

'Is hier iemand geweest met een whippet?'
vraag ik hoopvol.

'Helaas niet,' antwoordt Sam. 'We hebben
al heel lang geen whippet gehad.'

'We denken dat Flinter misschien iets te
maken heeft met die illegale fokker van
whippets die laatst in het nieuws was,' zegt
Ann, 'maar dat weten we niet zeker.'

'O ja, dat verhaal ken ik,' zegt Sam. 'Er zijn
momenteel heel veel mensen die een puppy
kopen, en niet iedereen gaat naar een
betrouwbare fokker. Maar een huisdier is een
grote verantwoordelijkheid. Sommige mensen
denken er gewoon niet goed over na. En dan
komen ze er na een tijdje achter dat ze niet
meer voor het dier kunnen, of willen, zorgen.'

'Wat gebeurt er dan met die honden?'
vraagt Ann.

'Die belanden vaak in het asiel,' antwoordt
Sam. 'De mensen van het asiel proberen dan

een nieuw baasje voor ze te vinden. Sommige mensen beweren dat hun hond een zwerfhond is, dat ze hem op straat hebben gevonden. Ik denk dat ze zich schamen en dat ze daarom liegen.'

We worden onderbroken door opgewonden geblaf – het is etenstijd voor de honden. We bedanken Sam voor zijn hulp, pakken onze spullen en gaan ervandoor.

Ann moet opschieten, omdat die een fietstocht gaat maken met diens vader, dus Simone en ik besluiten onszelf te trakteren op een milkshake in het restaurant. We kijken EEUWEN naar het menu, hoewel we allang weten wat we willen hebben: de aardbeien-milkshake met slagroom. Daar hebben we het namelijk al de *hele week* over.

Terwijl we ieder met een eigen rietje de milkshake opslurpen, bespreken we het interview met Sam van SNUF EN KWISPEL.

'Zielig, hè, van al die honden die in het asiel belanden,' zegt Simone.

'Ja, vreselijk,' zeg ik. 'Een hond nemen is toch iets heel anders dan een auto of een nieuwe telefoon of een handtas kopen? Het is maar goed dat we hier een artikel over schrijven in **DE SPEURNEUS**.'

Ik denk aan Flinter en hoe graag ik hem wil houden. Als hij mijn hond was, zou ik hem echt *nooit* wegdoen!

'Er heeft nog niemand op onze posters gereageerd,' zegt Simone.

'Ja, heel jammer,' reageer ik.

Maar stiekem ben ik daar ook wel een beetje blij om.

Hoofdstuk twaalf

Het is zondag – nog één dag om Flinters verhaal tot op de bodem uit te zoeken. Mijn moeder zegt dat hij naar het asiel moet als we zijn baasje vandaag niet vinden. Het begint nu pas echt tot me door te dringen dat ik hem dan waarschijnlijk nooit meer zie.

Ik wil NU METEEN in actie komen, maar de telefoon gaat. Het is Harry, mijn moeders assistent in het restaurant, die de weekenddiensten doet.

'Heb je de stoppen al gecontroleerd?' vraagt mijn moeder. Dan hangt ze met een zucht op. 'Ik moet even weg,' zegt ze tegen mij. 'Wil jij zolang op Merel passen? Wes is er ook, maar die is bezig met een verslag voor school.'

Merel wil schooltje spelen. Zij is de juf, en haar denkbeeldige vriendjes en ik zijn de leerlingen. We krijgen ieder een pen en papier.

'Schrijf op waar ik aan denk!' geeft ze als opdracht.

Ik doe een poging, maar het is natuurlijk niet te doen.

Aan het einde van de les kijkt ze de papieren na en zegt: 'Nee, nee, nee – daar klopt *helemaal* niks van.' Ze schudt bedroefd haar hoofd. 'Ik ben niet boos, ik ben alleen TELEURGESTELD.' We krijgen allemaal een dikke onvoldoende.

Zodra mijn moeder thuiskomt, vlieg ik naar de deur.

'Ik ga met Simone naar Ann,' zeg ik tegen haar.

'Oké,' zegt ze, 'tot later.'

Ik haal eerst Simone op en daarna lopen we samen naar Anns huis.

'Eva! Simone!' zegt Anns vader terwijl hij de deur opendoet. 'Kom binnen, kom binnen!'

We lopen achter hem aan naar de keuken. Daar staat hun kat, Frank, een enorme bak met stukjes tonijn leeg te schrokken. Dat dieet van hem is blijkbaar geen succes.

Ann haalt met een verontschuldigende glimlach haar schouders op. 'Wat doe je eraan?' zegt die. 'Hij heeft gewoon altijd honger!'

'Eten jullie mee?' vraagt Anns vader. 'Ik heb veel te veel gemaakt voor ons tweeën.'

'Vandaag niet, helaas!' zeg ik. Ik draai me om naar Ann en zeg: 'We moeten nu echt opschieten met ons verhaal.'

We nemen onze aantekeningen door en

overleggen wat we moeten doen.

'Sam van SNUF EN KWISPEL zei dat sommige honden naar het asiel worden gebracht,' zegt Simone.

'Dat is waar ook. We moeten naar het asiel!' roep ik.

Ann vraagt aan diens vader of we zijn laptop mogen lenen, en we zoeken alle dierenasiels in de omgeving op. Er zijn *honderden* dieren die op zoek zijn naar een baasje. We scrollen door ik weet niet hoeveel pagina's met beschrijvingen van asieldieren.

'Aanhankelijke oude dame,' lezen we, 'zoekt een rustig thuis, zonder drukte en lawaai. Eigenaar helaas overleden...'

'Ondeugende tweeling, erg speels. Gek op elkaar, graag samen plaatsen...'

Op de site van dierenasiel Blije Beestjes valt ons één beschrijving op:

'Zachtaardig, gevoelig mannetje. Heeft moeilijke start in het leven gehad. Dol op knuffelen. Naar het asiel gebracht omdat hij niet meer gewenst is.'

En er staat een foto bij...
Het is Flinter.
Dus nu weten we het zeker: Flinter heeft geen baasje, geen gezin. Hij heeft in het asiel

zitten wachten totdat iemand hem zou adopteren en mee naar huis zou nemen. En blijkbaar is hij toen ontsnapt.

We blijven even stil en kijken elkaar verslagen aan. Ik moet er niet aan

denken dat hij terug naar het asiel moet. Nou
wil ik hem ECHT houden. En ik weet zeker dat
mijn moeder dat ook wil. Maar de drie dagen
die we van de huisbaas hebben gekregen, zijn
bijna voorbij en hij was heel duidelijk: huisdieren zijn streng verboden – Flinter moet weg.

Ik sjok langzaam naar huis en vertel mijn
moeder wat we hebben ontdekt.

'Ik vind het heel goed van je dat je hebt
uitgezocht waar Flinter vandaan komt,' zegt ze
en ze geeft me een knuffel. 'Het lijkt me het

beste dat we Blije Beestjes meteen bellen. Zal ik het doen of wil jij het doen?'

'Ik doe het wel,' zeg ik en ik pak de telefoon.

De vriendelijke vrouw aan de lijn bevestigt dat Flinter inderdaad bij hen in het asiel heeft gezeten en vertelt me het laatste ontbrekende stukje van het verhaal.

'Iemand heeft hem een tijdje geleden achtergelaten bij de ingang,' zegt ze. 'Zo'n

bangig klein kereltje. Het is heel triest als mensen dat doen, maar we hebben daar geen oordeel over. Je weet nooit wat voor problemen iemand in zijn leven heeft. We willen alleen maar helpen.'

'Ik snap niet goed waarom hij niet meteen geadopteerd is!' zeg ik.

'Wij ook niet!' zegt zij. 'Maar hij was zo bang en schuw, dat hij zich steeds verstopte als er mensen kwamen om een hond uit te zoeken.'

'Ik vond hem bij de buurtwinkel,' zeg ik tegen haar. 'Hoe is hij daar terechtgekomen?'

'Hij liep vorige week weg, toen er vuurwerk werd afgestoken. Hij schrok van het lawaai. Toevallig hadden we net de achterdeur even opengezet en toen is hij ervandoor gegaan. We hebben ons vreselijke zorgen gemaakt. We zijn ZO blij dat jij hem gevonden hebt en al die tijd voor hem gezorgd hebt.'

En dat was het dan. We spreken af dat we Flinter morgenvroeg naar Blije Beestjes brengen.

Hoofdstuk dertien

Ik word al heel vroeg wakker, en als het me weer te binnen schiet dat Flinter vandaag weggaat, word ik overspoeld door een golf van verdriet. Ik pak zijn spulletjes bij elkaar: zijn wollige, roze met oranje geruite truitje, zijn riem en een zakje met zijn favoriete hondensnoepjes, *barbecue-baconsmaak*. Ik kijk naar zijn dekentje naast mijn bed en barst bijna in tranen uit. Ik ga hem ZO VRESELIJK missen.

Merel probeert me te troosten en zegt dat ik haar speciale verzameling plastic pony's mag bekijken *en zelfs mag aanraken*. Dat is lief aangeboden, maar het helpt niet echt.

Er wordt aangebeld – het zijn Ann en Simone. Ze komen even langs om me te steunen. Echt heel lief. Flinter rent enthousiast op ze af. Hij denkt natuurlijk dat we weer met zijn allen naar het park gaan.

'We zullen Flinter *allemaal* missen,' zegt Ann.

'We zullen hem nooit vergeten,' voegt Simone eraan toe.

Het is tijd om te gaan. We lopen samen naar beneden – mijn moeder, Merel, Ann, Simone en ik, en Flinter. Onderaan de trap komen we de huisbaas tegen, die een lamp vervangt in de hal.

Maar Flinter is onrustig – hij blaft en piept, rent de trap weer op, kijkt naar het plafond en rent weer terug, alsof hij wil dat we hem achterna komen.

En nou trekt hij aan de broekspijp van de huisbaas...

'Hé, wat is er?' vraagt de huisbaas verbaasd aan Flinter.

'Ik denk dat hij gewoon weer terug naar huis wil,' zegt mijn moeder.

Maar ik ben daar niet zo zeker van. Ik denk

dat Flinter iets gezien heeft – en ik geloof hem meteen.

REGEL ZEVEN: *luister altijd naar je gevoel.*

Ik loop een stukje de trap op. Dan zie ik wat Flinter zag en ons probeerde te vertellen: een donkere, natte plek op het plafond, die steeds groter wordt... ik hoor drup, drup, drup, en dan spet, spet, spet...

'O NEE!' roept de huisbaas. 'LEKKAGE!' Hij pakt meteen zijn gereedschapskist en rent naar de kelder.

We wachten in spanning af totdat hij terugkomt, maar hij gaat er meteen weer vandoor, naar boven deze keer.

Dan komt hij terug. Hij veegt zijn voorhoofd af met zijn mouw en kijkt enorm opgelucht. 'Ik heb de hoofdkraan afgesloten,' zegt hij tegen ons. 'Er stroomde een badkuip over in een van de appartementen op de bovenste verdieping. Dat had een ENORME

schade kunnen aanrichten in het hele
gebouw!'

Is dit onze grote kans? Het moment waarop
we al die tijd hebben gewacht?

Maar tot mijn stomme verbazing kan ik,
Eva-de-niet-op-haar-mondje-gevallen-flapuit,
geen woord uitbrengen. Het voelt alsof mijn
keel dichtzit en ik zeg niks. Ik ben zo blij dat
mijn vrienden er zijn.

'Flinter heeft een ramp voorkomen!' zegt
Ann zonder te aarzelen tegen de huisbaas.
    'Wat een held!' roept Simone luid en
duidelijk, terwijl ze normaal gesproken heel
verlegen is – echt geweldig.

'En wat een *fantastische* waakhond!' zegt mijn moeder op een dwingende toon. Zo praat ze alleen als ze wil dat wij de vuilnisbak buitenzetten of de afwasmachine leegruimen. 'Ziet u nou hoe handig het is om de scherpe ogen en oren van een hond in het gebouw te hebben?'

Merel knikt zo hard dat het een wonder is dat haar hoofd er niet afvalt.

Onze buren, Joyce en Babs, horen het tumult, komen ook naar buiten en zijn het roerend met ons eens.

'JAAA!' zegt Babs. 'We zouden het *geweldig* vinden om een hond in het gebouw te hebben. Gezellig!'

Maar de huisbaas zegt niks. Hij stopt zijn gereedschap weer in zijn kist en zet die achter in zijn busje. Hij opent het portier, klaar om te vertrekken. De moed zakt me in de schoenen.

Hij aarzelt en kijkt om naar Flinter. Flinter staat half verscholen achter mijn benen en kijkt de huisbaas aan.

Ik houd mijn adem in.
Doet-ie het? Verandert hij van gedachten?

Hoofdstuk veertien

De huisbaas grinnikt zachtjes en schudt zijn hoofd.

'Ik zie dat ik enorm in de minderheid ben,' zegt hij. 'Oké. Flinter mag blijven.'

Het is dat Ann en Simone keihard juichen en op en neer springen, anders had ik het niet geloofd. Ik ben zo blij dat ik een soort oerkreet slaak:

'WOEHOEOEOEOE!'

Ik pak Flinter op en geef hem een *hele* dikke knuffel. 'Het is je gelukt, Flinter – goed gedaan!'

'Jullie hebben het samen gedaan,' zegt mijn

moeder met een stralende glimlach, terwijl ze naar Ann, Simone en mij kijkt.

Mijn moeder belt de mensen van Blije Beestjes – die vinden het meteen goed dat wij Flinter adopteren.

Ze zeggen dat ze later op de dag langskomen met de papieren, zodat mijn moeder ze kan ondertekenen.

'En nu moeten jullie gauw naar school,' zegt mijn moeder tegen ons. Jullie zijn VEEL te laat – ik bel wel even om het uit te leggen.'

Tussen de middag praten Ann, Simone en ik
over wat er die ochtend allemaal gebeurd is.

'We kunnen Flinters talenten goed
gebruiken voor **DE SPEURNEUS**,' zegt Ann vol
bewondering. 'Hij is echt heel slim!'

'Nou en of!' zeg ik. 'En niet alleen bij de
lekkage van vanochtend. Ik heb het al veel
vaker gezien – hij hoort de postbode altijd als
eerste, en hij rook een keer dat het geroosterd
brood aanbrandde. Hij houdt echt alles in de
gaten. Hij zou een GEWELDIGE
onderzoeksjournalist zijn, net als
wij.'

'Een echte aanwinst
voor ons team,' zegt
Simone. 'Ik ga een
perskaart voor hem
maken!'

Zodra we ons eten op hebben, gaan we naar de bibliotheek. Nu we de laatste stukjes van de puzzel hebben, willen we het verhaal voor **DE SPEURNEUS** zo snel mogelijk afmaken.

DE SPE

Nieuws uit de buurt! ☆ De

DIT IS FLINTER!

HET NIEUWSTE LID VAN
HET SPEURNEUS-TEAM!

RNEUS

☆ verhalen! ☆ Reviews!

EXCLUSIEF!
Puppy kopen? Hier
moet je op letten! p. 4

Alles over dierenasiel
Blije Beestjes p. 7

DIT IS FLINTER!
HET NIEUWSTE LID VAN HET SPEURNEUS-TEAM!

Flinter heeft deze week zijn bijzondere talenten gebruikt om een rampzalige overstroming te voorkomen, toen een bewoner boven in een flatgebouw de kraan boven de badkuip aan had laten staan. Flinter is een whippet, een ras dat bekendstaat om zijn snelheid, alertheid en reactievermogen. Whippets zijn ook beroemd om hun bliksemacties, zoals eten van het aanrecht pikken – als je even met je ogen knippert, is je broodje foetsie!

Het zou kunnen dat Flinter van een illegale fokker komt, maar dat weten we niet zeker. Als je een hond koopt, is het HEEL belangrijk dat je naar een erkende fokker gaat, die ervoor zorgt dat de puppy's gezond, gelukkig en gechipt zijn en dat ze bij hun moeder blijven totdat ze oud genoeg zijn om het nest te verlaten.

Denk eraan dat een hond zijn hele leven bij je blijft – koop nooit een hond in een opwelling, maar denk er eerst goed over na!

Je kunt ook naar een asiel gaan, waar ze voor afgestane dieren zorgen totdat er een nieuw baasje is gevonden. Want net als Flinter verdient elke hond een kans op een liefdevol thuis.

Meera leest mee over onze schouders. 'De beste editie van **DE SPEURNEUS** ooit,' zegt ze trots. 'Echt heel goed gedaan! Klaar om te printen?'

'Klaar!' antwoorden we tegelijk.

Terwijl de printer al ratelend en piepend in

actie komt, pakt Meera een zak verse
abrikozen van haar bureau en biedt ons er
ieder eentje aan.

'Dus,' zegt ze, '**DE SPEURNEUS** heeft nu een
ECHTE HOND in het team!'

'HET HONDENTEAM!' zeg ik lachend.
'Dat zijn wij vanaf nu!'

Hoofdstuk vijftien

De gasten voor ons lanceringsfeest druppelen binnen in het restaurant. We hebben mijn moeder de hele dag geholpen met de drankjes, hapjes en decoraties. Bij de deur staat een bak met een grote stapel exemplaren van **DE SPEURNEUS**, zodat iedereen er eentje mee kan nemen. We hebben er ook een paar naar Pet Planet en **SNUF EN KWISPEL** gebracht – die willen de kranten heel graag aan hun klanten geven.

Ik heb speciaal voor de gelegenheid mijn favoriete outfit aan: mijn hoody met de surfende grizzlybeer en mijn donkergroene

bakerboy-pet. Flinter heeft zijn nieuwe bandana om, die Simone voor hem heeft gemaakt – roze met oranje, net als zijn truitje.

Iedereen is er: Anns vader, Simones ouders en haar twee zussen, onze buren Joyce en Babs...

'Wij willen Flinter wel uitlaten als je het daar te druk voor hebt,' zegt Joyce. 'Laat maar weten!'

En daar komt meneer Blaak aan, met zijn oude hond Lucky. 'O, nou, ik ben blij dat het allemaal goed gekomen is,' zegt hij als we hem eraan herinneren dat zijn tip ons op het juiste spoor heeft gezet.

Zelfs Wes komt. 'Cool!'

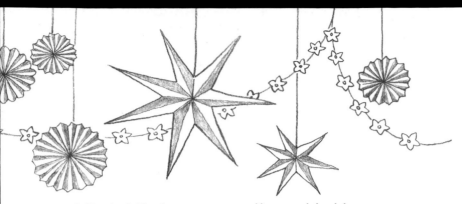

zegt hij als hij ziet wat we allemaal hebben gedaan. Ik ben stomverbaasd, want dat is het eerste woord dat ik in WEKEN uit zijn mond heb horen komen.

Maar de allergrootste verrassing is dat Amy langskomt. Amy!

'Ik wou even zeggen dat jullie het heel goed hebben gedaan,' zegt ze tegen ons. 'En, trouwens,' voegt ze eraan toe, terwijl ze verlegen met haar voet over de vloer schuifelt, 'Ik heb jullie niet uitgenodigd voor mijn feestje omdat ik dacht dat jullie toch niet wilden komen... maar als jullie zin hebben, mogen jullie ook komen.'

We zijn bijna te verbaasd om te reageren, maar dan zegt Ann snel: 'Graag. Dat lijkt ons heel leuk.'

'Nou moeten we een tuttige jurk voor je kopen,' zeg ik tegen Simone als Amy weer weg is, en ze geeft me een plagerige stoot tegen mijn schouder.

'Dus,' zegt Ann, 'morgen weer een redactievergadering? Om ideeën te bedenken voor ons volgende verhaal?'

'JA!' antwoord ik.

'Absoluut!' zegt Simone.

Thuis heeft Merel de leiding genomen over het eten dat is overgebleven van het feest. Alles staat uitgestald op de keukentafel, en Merel voert weer een van haar lange, serieuze gesprekken met zichzelf.

'Merel,' zegt Merel, 'wil jij dat laatste stuk taart?'

Ik rol met mijn ogen.

'Ja, Merel,' zegt Merel, 'HEEL GRAAG!'

Mijn moeder is moe en gaat op de bank liggen. Wes is verdwenen naar zijn kamer, zoals gewoonlijk.

Ik geef Flinter een stukje kip, ook al is het nog geen etenstijd voor hem.

'IK ZAG HET WEL!' roept mijn moeder vanuit de woonkamer, door twee dichte deuren. *Hoe doet ze dat toch?* Het zal wel een speciale gave van moeders zijn.

Ik ga met Flinter naar de daktuin – even
wat frisse lucht halen voordat we naar bed
gaan. Ik ga op de omgekeerde bloempot zitten
en kijk naar Flinter, die aan het onkruid
snuffelt. Hij vindt een oude wasknijper en
begint er blij mee te spelen en op te kauwen.

Ik bedenk wat een fijne hond hij is. Hij is op
zoveel verschillende plekken beland en toch

vertrouwt hij mensen nog steeds, ondanks alles wat hij heeft meegemaakt.

'Dit is nou jouw thuis, Flinter,' zeg ik tegen hem.

Zodra hij zijn naam hoort, kijkt hij op en begint te kwispelen. Hij weet wie hij is en dat hij bij ons hoort. Wij zijn zijn familie, voor altijd.

Dan bedenk ik wat het betekent om een goede journalist te zijn. Je moet achter de waarheid zien te komen, maar dat is niet het enige. Wij vertellen de wereld waargebeurde verhalen die iedereen moet horen. En het allerbelangrijkste is dat je het goede doet.

Ik verheug me nou al op het volgende avontuur van het Hondenteam!

Wil jij graag meer avonturen beleven met Het hondenteam?

In de zomer van 2024 verschijnt het **tweede deel** in deze serie

CLARA VULLIAMY

Het
HONDEN
TEAM

DE RACE

Veltman Uitgevers

Eva heeft altijd al een journalist willen zijn, dus als zij en haar vrienden meedoen aan hondenraces en ontdekken dat er fraude wordt gepleegd, heeft ze misschien wel een nieuw verhaal te pakken. Lukt het haar om deze zaak tot op de bodem uit te zoeken, met wat hulp van een trouwe viervoeter?